GAZZOTTI
VEHLMANN

seuls

4 Les Cairns rouges

DUPUIS

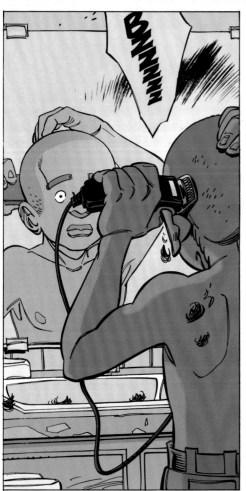

!!! O.K., JE VOUS REJOINS.

COULEURS = CAROLINE & USAGI

Conception graphique : Stefan Dewel • R.6/2013— D.2009/0089/90 • ISBN 978-2-8001-4413-9

PEFC-Certifié
Ce livre est issu de forêts gérées durablement, de sources recyclées et contrôlées.

PEFC
PEFC/07-31-241 www.pefc.org

DALIM SOFTWARE
Powered by

ALORS, ÇA TE RAPPELLE QUELQUE CHOSE ?

JE NE SAIS PAS TROP. C'ÉTAIT UNE ROUTE PLUS LARGE, JE CROIS.

ATTENDS... ESSAIE PAR LÀ.

PAR ICI!

C'EST BIEN TA VOITURE ? ... TU ... TU TE RAPPELLES MIEUX CE QUI S'EST PASSÉ ?

PAS "VRAIMENT, NON.

J'ÉTAIS À MOITIÉ ENDORMI À L'ARRIÈRE ... ET D'UN SEUL COUP, 'Y A EU UNE GRANDE LUMIÈRE, ET PUIS UN FRACAS HORRIBLE.

LA VOITURE A FAIT UN BOND DANS LES AIRS, JE COMPRENAIS PLUS OÙ J'ÉTAIS, 'Y AVAIT TOUT QUI TOURNAIT AUTOUR DE MOI ...

QUAND J'AI REPRIS CONNAISSANCE, Y AVAIT DES VOIX D'HOMMES AUTOUR DE LA VOITURE, QUI PARLAIENT UNE LANGUE QUE JE COMPRENAIS PAS... J'AI PAS OSÉ BOUGER. PIS LES VOIX SONT PARTIES.

AU BOUT D'UN MOMENT, J'AI TOURNÉ LA TÊTE ET J'AI VU QUE MES PARENTS BOUGEAIENT PLUS DU TOUT.

APRÈS, JE ME SUIS GLISSÉ HORS DE LA VOITURE ET J'AI COURU LE PLUS LOIN POSSIBLE... ET PUIS J'AI TOUT OUBLIÉ.

J'SAIS PAS POURQUOI J'SUIS PAS MORT AUSSI... P'TÊT PARCE QUE JE METS TOUJOURS MA CEINTURE...

... C'EST TROP TRISTE !

JE PRÉFÈRE RESTER SEUL UN PETIT PEU... VOUS VOULEZ BIEN ?

RETOURNEZ AU CAMP, JE M'OCCUPERAI DE LE RAMENER.

D'ACCORD.

J'ME DEMANDE CE QUE SONT DEVENUS LES CORPS ... TU CROIS QU'ILS ONT ÉTÉ EMPORTÉS AVEC LES AUTRES ?

JE SAIS PAS... J'ESPÈRE QUE NOS PARENTS VONT BIEN, EUX.

COMMENT ÇA ? QU'EST-CE QUE TU VEUX DIRE PAR LÀ, CAMILLE ? POURQUOI ILS IRAIENT PAS ?

EUH, RIEN, RIEN ! IL VAUT MIEUX ARRÊTER DE PARLER DE TOUT ÇA !

OH, REGARDEZ ! C'EST BORIS ET ZOÉ !

C'EST L'ATTAQUE DU PETIT TRAIN DES ANIMAUX, WOUHOUHOUU !

OOOH, ILS SONT TROP MIGNONS ! JE VAIS LES METTRE DANS MA FERME !

ALORS, VOTRE VIRÉE À LA CAMPAGNE ? PAS EU DE PROBLÈMES AVEC LES CHIENS ERRANTS ?

NON, ON DIRAIT QU'ILS ÉVITENT LA VILLE. C'EST P'T-ÊTRE LES RHINOS QUI LEUR FONT PEUR.

ET VOUS ?

ON A RETROUVÉ LA VOITURE DES PARENTS D'YVAN, JE T'EXPLIQUERAI.

EH, BETTY, TU NOUS OUVRES À LA FIN ?!

HEIN ?

OH, PARDON, J'VOUS AVAIS PAS VUS.

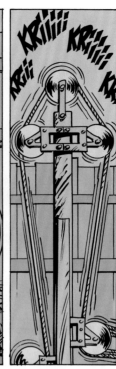

MERCI POUR LA MANOEUVRE!

PAS DE SOUCIS, MAIS JE VEUX BIEN QUE TU M'APPRENNES À CONDUIRE CE TRUC, MOI AUSSI!

ON FAIT ÇA QUAND TU V'... ?!!

SKLING

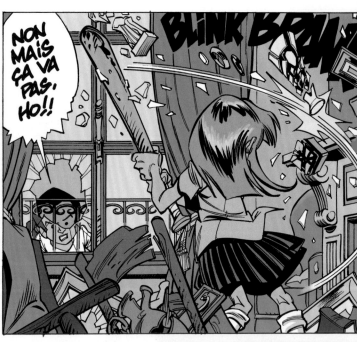

NON MAIS ÇA VA PAS, HO!!

BLINK BRAN

QUOI?

EDWIGE, JE T'AI DIT CENT FOIS QUE SI TU VEUX T'AMUSER À RAVAGER DES APPARTS, TU FAIS ÇA **DEHORS**! ICI, C'EST **NOTRE CAMP**! APRÈS, FAUDRA TOUT NETTOYER!

J'FINIS CELUI-CI ET J'ARRÊTE! PROMIS!

SKLING

COMPLÈTEMENT TARÉE CELLE-LÀ!

ET ENCORE, VOUS AVEZ UNE BONNE INFLUENCE SUR ELLE: AU PARC, C'EST NOUS QU'ELLE COGNAIT!

BLINK KASS

HONNÊTEMENT, À PART TOI ET BORIS, J'AI L'IMPRESSION QU'ON S'EST RÉCUPÉRÉ TOUS LES BOULETS DU CLAN DU REQUIN!... ENTRE CELLE-LÀ, L'AUTRE QUI PENSE QU'À SES JEUX VIDÉO, OU CEUX QUI EN FICHENT PAS UNE!

SALUT LEÏLA!

EN FAIT, C'EST EXACTEMENT ÇA. MOI ET BORIS, ON EST PARTIS PARCE QU'ON AIMAIT PAS VIVRE LÀ-BAS, MAIS LES AUTRES, C'EST CEUX QU'ARRIVAIENT PAS À S'INTÉGRER AU CLAN.

LE GENRE DE CEUX QU'ON CHOISIT EN DERNIER DANS LES ÉQUIPES DE HANDBALL AU COURS DE GYM! HA! HA!

REMARQUE, ON AVAIT NOS PROPRES CAS SOCIAUX AVANT DE VOUS RENCONTRER...

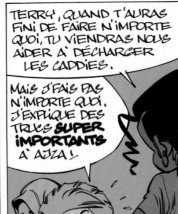

TERRY, QUAND T'AURAS FINI DE FAIRE N'IMPORTE QUOI, TU VIENDRAS NOUS AIDER À DÉCHARGER LES CADDIES.

MAIS J'FAIS PAS N'IMPORTE QUOI. J'EXPLIQUE DES TRUCS **SUPER IMPORTANTS** À AJZA !

TU COMPRENDS, LE VAISSEAU DE DARK VADOR, EH BIEN IL DOIT ÊTRE **ENCORE PLUS MALÉFIQUE** !

ALORS, VA M'CHERCHER UNE PLANCHE POUR FABRIQUER UNE AUTRE PISTE DE DÉCOLLAGE !

VOUS N'AUREZ PAS FRIPOUILLE N°2 !

QU'EST-CE QUI SE PASSE LÀ-BAS ?

JE VOUS LAISSERAI PAS LUI FAIRE PAREIL QU'À FRIPOUILLE N°1 !

ON N'AURA PAS ASSEZ D'UN LAPIN POUR TOUT LE MONDE, CAMILLE.

ON TE PROMET QU'IL N'AURA PAS MAL.

OUSTE, JE VOUS DIS !

ET PUIS IL Y A CES DEUX-LÀ. ILS SAVENT FAIRE PLEIN DE TRUCS UTILES, MAIS... ILS ME METTENT UN PEU MAL À L'AISE.

ALEXANDRE ET SÉLÈNE ? C'EST VRAI QU'ILS SONT STRANGE. ON SAIT PAS D'OÙ ILS VIENNENT. ILS PARLENT PAS BEAUCOUP.

BAH ! ON AURA BIEN L'OCCASION DE FAIRE CONNAISSANCE.

TU DEVRAIS GOÛTER, CAMILLE ! IL EST TROP BON, FRIPOUILLE !

C'EST L'HEURE DE PASSER AU CONSEIL DU SOIR.

UNE FOIS DE PLUS, ON N'A PAS ÉTÉ TRÈS NOMBREUX À AIDER POUR LES PROVISIONS AUJOUR-D'HUI... J'AIMERAIS QUE CHACUN Y METTE DU SIEN SI-NON ON VA PAS S'EN SORTIR.

SINON, ANTON, T'EN ES OÙ DES TENTATIVES POUR APPELER À L'ÉTRANGER ?

J'AI LAISSÉ TOMBER... J'OBTIENS JUSTE DES GRÉSILLE-MENTS, QUELS QUE SOIENT LES PAYS.

ON PEUT RÉESSAYER AVEC LA RADIO DE LA VOITURE DE POLICE, MAIS L'AUTRE FOIS, J'AI PAS RÉUSSI À LA FAIRE MARCHER.

EEEEH, PAS TOUCHE À MON VAISSEAU DE LA MORT !

FAUDRA ESSAYER DE SE DÉGOTTER UN MANUEL D'UTILISATION.

SINON, MOI, J'AI EU UNE AUTRE IDÉE...

ON EST EN SEPTEMBRE, ÇA DEVRAIT ÊTRE LA RENTRÉE, IL FAUDRAIT PAS ESSAYER DE REFAIRE ÉCOLE ?

AH NON ALORS!

DE TOUTE FAÇON, C'EST COUILLON, Y'A PLUS DE PROFS!

BOF JE SAIS PAS...

NON, MOI JE TROUVE QUE...

AH C'EST PEUT-ÊTRE...

MAIS C'EST QUAND MÊME IMPOR-TANT, L'ÉCOLE, ELLE A RAISON !

HOPOPOP, DU CALME! C'EST DODJI QUI VA TRANCHER!

MOI?

T'ÉS NOTRE CHEF, DODJI.

ALORS, C'EST NON.

DÉSOLÉ, CAMILLE, MAIS C'EST PAS LES MATHS OU LES BOUQUINS QUI VONT NOUS AIDER À COMPRENDRE POURQUOI TOUT LE MONDE A DISPARU.

EUH, BEN ... ÇA DÉPEND, EN FAIT.

COMMENT ÇA?

AUJOURD'HUI, À LA MÉDIATHÈQUE, J'AI LU UN LIVRE QUI POURRAIT EXPLIQUER CE QUI S'EST PASSÉ ... ILS APPELLENT ÇA LE BIG CRUSH.

ILS DISENT QU'APRÈS LE BIG BANG ET L'EXPANSION DE L'UNIVERS, BEN PEUT-ÊTRE QUE ... QUE TOUT VA FINIR PAR SE RÉTRACTER.

PEUT-ÊTRE QUE ÇA A COMMENCÉ, MAIS JUSTE AVEC CERTAINES PERSONNES ... ET ENSUITE ÇA SERA NOUS, PIS LES IMMEUBLES ET LES ANIMAUX.

... C'EST MARRANT, QUAND J'ÉTAIS PETITE, J'AI CRU À QUELQUE CHOSE UN PEU COMME ÇA.

À LA FIN DE L'ÉTÉ, QUAND ON EST REPARTI EN VOITURE, ON EST PASSÉ DEVANT LA PLAGE... ET Y AVAIT PLUS LA MER!... EN FAIT, C'ÉTAIT LA MARÉE BASSE, MAIS MOI JE LE SAVAIS PAS = D'HABITUDE ON ALLAIT SE BAIGNER QU'À MARÉE HAUTE.

ALORS MOI J'AI PENSÉ QUE DES GENS AVAIENT RANGÉ LA MER, PARCE QUE C'ÉTAIT LA FIN DES VACANCES...

MAIS ALORS, QU'EST-CE QU'ELLES VIENDRAIENT FAIRE LÀ-DEDANS, LES "15 FAMILLES" DONT LE PAPA D'YVAN A PARLÉ?

C'EST PEUT-ÊTRE JUSTEMENT CEUX QUI SONT CHARGÉS DE TOUT RANGER... SI C'EST LA FIN DE TOUT...

POURQUOI RANGER? ILS SONT LÀ POUR TOUT PÉTER, C'EST TOUT!

KLING... KLING...

?!

KLING... KLING

...AI...

...AI...DEZ!

Lucie

KLING KL....

IL VA MAL...

"...IL A DES BLEUS PARTOUT ET SA MAIN DROITE A ÉTÉ ... DÉCHIQUETÉE. JE ... JE SUIS PAS SÛRE QU'IL POURRA GARDER TOUS SES DOIGTS ...

GASTON LEROUX

BRRR, JE SAIS PAS COMMENT MON PÈRE FAISAIT AVEC SES PATIENTS! MOI, ÇA M'A FILÉ DES FRISSONS RIEN QUE DE VOIR TOUT CE SANG!...

Y AVAIT CETTE PHOTO SUR LUI.

EH, C'EST PEUT-ÊTRE ELLE, "LUCIE"! ÇA DOIT ÊTRE SA SŒUR OU SA COUSINE!

IL A CRIÉ SON NOM TOUTE LA NUIT ... VOUS CROYEZ QU'IL LUI EST ARRIVÉ QUELQUE CHOSE DE GRAVE?

EN TOUT CAS, FAUT ESSAYER DE LA RE-TROUVER, ON VA ORGANISER DES ÉQUIPES ET CHERCHER DANS LA VIEILLE VILLE, C'ÉTAIT SON TERRITOIRE.

MOI JE RESTE POUR M'OCCUPER DE LUI.

SI TU VEUX ... MAIS FAIS QUAND MÊME GAFFE, D'ACCORD? ET SURTOUT, LAISSE-LUI SON MASQUE, IL AIME PAS EN ÊTRE SÉPARÉ.

DODJI ... TU SAIS CE QUI A PU ARRIVER AU MAÎTRE DES COUTEAUX, TOI? IL ÉTAIT POURTANT PAS DU GENRE À SE LAISSER EMMERDER! IL EST SUPER COSTAUD!

JE SAIS PAS. MAIS FAUDRA PRENDRE TOUTES NOS ARMES.

YVAN, PRENDS UNE ARME, TU VIENS AVEC NOUS.

"...JE NE SUIS PAS SÛR DE SERVIR À GRAND-CHOSE, JE ...

C'EST MOI QUI DÉCIDE, GROUILLE-TOI.

VOUS DEUX, JE PRÉFÈRE QUE VOUS RESTIEZ ICI.

POURQUOI ?

IL FAUT QUE QUELQU'UN GARDE LE CAMP, AU CAS OÙ "...ET JE SAIS QUE JE PEUX COMPTER SUR VOUS.

D'ACCORD, DODJI.

ON FORME TROIS GROUPES. BORIS, TU COMMENCES PAR L'AUTRE CÔTÉ DE LA VIEILLE VILLE, ET ON S'APPELLE RÉGULIÈREMENT, OK ?

OK.

KRIIIIiii
KRIIIIiii
KRIIIIiii

TU PENSES QUOI DE CETTE HISTOIRE DE BIG CRUSH ?

J'Y CROIS PAS VRAIMENT.

MOI, C'EST LE COUP DES LIGNES TÉLÉPHONIQUES BROUILLÉES QUI ME FAIT GAMBERGER.

COUPER LES COMMUNICATIONS, C'EST UN TRUC QUE FONT LES ARMÉES ENNEMIES EN CAS DE GUERRE ... J'AI VU À LA TÉLÉ QU'IL Y A DES ONDES MILITAIRES QUI PEUVENT BOUSILLER TOUS LES APPAREILS ÉLECTRONIQUES.

ET Y EN A D'AUTRES QUI AGISSENT SUR LES GENS POUR LES FAIRE S'ÉVANOUIR, LES RENDRE MALADES OU LES FAIRE PANIQUER.

LES ONDES, ELLES AGISSENT SUR LE CERVEAU ET ELLES PROVOQUENT DES RÉACTIONS BIZARRES ... C'EST PEUT-ÊTRE POUR ÇA QUE NOS PARENTS NOUS AURAIENT OUBLIÉS DERRIÈRE EUX, TU COMPRENDS ?

MAIS POURQUOI ON AURAIT PAS ÉTÉ TOUCHÉS, NOUS ?

PEUT-ÊTRE QU'ON EST SPÉCIAUX. COMME ANTON QU'EST UN SURDOUÉ.

OU COMME TERRY, QU'EST UN SOUS-DOUÉ ! HA ! HA !

MOI, ÇA ME FAIT PEUR TOUT ÇA ... EN PLUS, ON SAIT MÊME PAS QUI AURAIT PU NOUS ATTAQUER ...

J'AI TROUVÉ DES PAPIERS PRÈS DE LA VOITURE D'YVAN. JE CROIS QU'ILS ÉTAIENT ÉCRITS EN RUSSE OU UN TRUC COMME ÇA ... PEUT-ÊTRE QUE C'EST EUX NOS ENNEMIS, ZOÉ.

AU FAIT, MES VRAIS AMIS M'APPELLENT JUSTE ZO ... TU PEUX M'APPELER COMME ÇA, SI TU VEUX.

D'ACCORD.

J'TE "" ATTENDS QUE JE T'ENVOIE LA PHOTO ET TU VAS VOIR SI TU ME CROIS PAS.

C'EST CARRÉMENT FLIPPANT, JE TE JURE "" ATTENDS, Y A ZO QUI M'DIT UN TRUC.

C'EST JUSTE DE LA PEINTURE ROUGE "" J'AI CRU UN MOMENT QUE C'ÉTAIT DU SANG !

PAR CONTRE, J'AI TROUVÉ ÇA ""

C'EST LE RESTE D'UN ÉCUREUIL, À MOITIÉ BOUFFÉ "" ET Y'EN A PAS MAL D'AUTRES LÀ-DEDANS, AVEC DES RESTES DE CORBEAUX, AUSSI.

BON, DODJI, TU M'DIS TOUT DE SUITE OÙ ON SE REJOINT ET J'APPELLE BORIS ! PAS QUESTION DE RESTER SÉPARÉS UNE MINUTE DE PLUS !

"" OH ""

"" TU N'AS PAS L'AIR BIEN.

JE "" J'AI COMME UNE BOULE DANS LE VENTRE, JE SAIS PAS POURQUOI "" MAIS ÇA VA PASSER !

ILS SONT INSTALLÉS ICI, DEVANT L'OPÉRA...UN CHIMPANZÉ ET QUATRE AUTRES SINGES, DES SORTES DE BABOUINS.

ET TOUS DÉGUISÉS ?! LE CIRQUE BRÛLÉ N'AVAIT PAS ENCORE DÉVOILÉ TOUS SES PENSIONNAIRES...

CEUX-LÀ SONT DIFFÉRENTS DES AUTRES ANIMAUX, IL Y A QUELQUE CHOSE QUI CLOCHE CHEZ EUX.

LEURS YEUX SONT BIZARRES... ET T'AS VU COMME ILS SONT IMMOBILES ? COMME S'ILS ATTENDAIENT QUELQUE CHOSE...

ET CES TAS D'OBJETS ? ÇA N'A AUCUN SENS !

ÇA ME FAIT PENSER À DES CAIRNS.

VOUS SAVEZ, CES TAS DE PIERRES QU'ON TROUVE SUR CERTAINES TOMBES PRÉHISTORIQUES...

ATTENDEZ !... REGARDEZ VERS LE CHIMPANZÉ !

BEN QUOI ?

C'EST AU PIED DU PILIER.

OH ! PUNAISE ! LE BÉBÉ EST LÀ !

SI TU T'SENS PAS CAPABLE, RESTE ICI! MAIS VIENS PAS TRAÎNER DANS MES PATTES!

MAIS JE SUIS PAS COMME TOI, DODJI!... JE SUIS PAS FORT COMME TOI!

...NOUS, ON EST AVEC TOI.

EXCUSE-MOI, YVAN... J'AI PEUR AUSSI, TU SAIS... MAIS JE CROIS QU'ON N'A PAS D'AUTRE CHOIX...

ON Y VA...

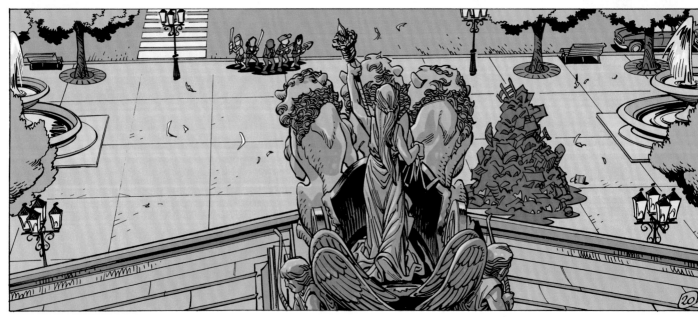

J'VOIS LE BÉBÉ! FAUT FONCER, DODZI!

SUR CE COUP-LÀ, ELLE A RAISON! ENSEMBLE, ILS PEUVENT RIEN CONTRE NOUS!

OK...

OU... ALLÉÉÉZ! AAAAAAHH!!

OUAAAAAAHH!!

OUAAAAAAHH!

BONK

AOW!

VIRAGE! ACCROCHEZ-VOUS!

FREINE! FREINE!!

OUCH!

NON! J'ACCÉLÈRE!

AOUCH!

AÏE!

"...ELLE EST PLUS SENSIBLE QUE LES AUTRES À CE QUI EST EN TRAIN D'ARRIVER. TU CROIS QUE C'EST L'ENFANT QUE NOUS REDOUTONS ?

TU SAIS QUE NOUS NE POUVONS PRENDRE AUCUN RISQUE.

LAISSE-LA TRANQUILLE, VILAIN !!

PAK

KÈSS' TU FAIS À CAMILLE ?! SI TU LA TOUCHES, JE ... J' T'ÉTRIPE LA TÊTE !

MMHF!?

NE TE MÊLE PAS DE ÇA.

"...TU NE SAIS PAS À QUI TU AS AFFAIRE.

HIIII!... HIIII !

"QU'EST-CE QUI SE PASSE ?

HIIII! HIIIII!

24

OUVREZ LA BARRIÈRE! VIIIIIIITE!

KRIIII
KRIIII
KRIII
KRIII

PTON

SUIVEZ-NOUS, VITE! TOUS À L'ABRI!

KRIIII
KRIIII
KRIII

«...ILS SONT REPARTIS.

IL TE RESTE DE L'ASPIRINE ?

'FAUT VÉRIFIER À L'ÉTAGE. ON A COMPLÈTEMENT VIDÉ LA SACOCHE DU PÈRE DE LEÏLA...

ON Y R'TOURNE DEMAIN, PAS VRAI, DODJI ? ON VA LES FAIRE PAYER!

LÂCHE-MOI, EDWIGE... J'SAIS PAS CE QU'ON VA FAIRE.

MAIS TU VAS LEUR PÉTER LA TRONCHE! TOI, CEUX QUI T'CHERCHENT, TU LES BUTES! COMME TON BEAU-PÈRE!

TU SAIS **RIEN** DE MON BEAU-PÈRE, TU PIGES?... ALORS TU **FERMES TA GUEULE.**

TERRY, AMÈNE-TOI.

DODJI, JE LES AIME PAS, LES DEUX LÀ-BAS... ILS ME FONT PEUR...

PLUS TARD, TERRY... J'DOIS VOUS PARLER.

26

JE DOIS PARTIR.

COMMENT ÇA "PARTIR" ?

JE PEUX PLUS ÊTRE LE CHEF DU GROUPE... J'AI DÉCONNÉ.

MAIS NON, ÉCOUTE, T'ES SUPER ! C'EST PAS PARCE QUE...

LEÏLA, J'AI COMPLÈTEMENT MERDÉ, TOUT À L'HEURE ! ON S'EST RAMASSÉ ! SI ÇA SE TROUVE, LE BÉBÉ EST MORT, MAINTENANT !

MOI, JE SUIS DÉPASSÉ, ET VOUS... VOUS ME FAITES TROP CONFIANCE ! TOUT ÇA PARCE QUE VOUS CROYEZ QUE JE SUIS FORT ! PARCE QUE VOUS PENSEZ QUE...

...VOUS PENSEZ COMME EDWIGE, C'EST ÇA ? QUE J'AI TUÉ MON BEAU-PÈRE. C'EST VOUS QUI AVEZ RACONTÉ ÇA AUX AUTRES.

EST-CE QUE TU L'AS FAIT, DODJI ?

...OUI.

JE... JE L'AI POUSSÉ DANS L'ESCALIER DE LA CAVE.

IL ÉTAIT DE DOS, IL AVAIT AUCUNE CHANCE... IL AVAIT DIT DES TRUCS DÉGUEULASSES SUR MA MÈRE, ÇA M'A RENDU FOU.

MAIS MOI, ÇA ME BOUFFE, VOUS COMPRENEZ ? ... PLUS ON ME REGARDE COMME SI J'ÉTAIS COOL, COMME SI J'ÉTAIS UN PUTAIN DE HÉROS, ET PLUS ÇA ME BOUFFE ...

J'VEUX PAS EN PARLER AUX AUTRES ... ÇA LES REGARDE PAS.

C'EST POUR ÇA QU'IL FAUT QUE JE PARTE. VOUS VOUS DÉBROUILLEREZ MIEUX SANS MOI.

YVAN, C'EST TOI QUI SERAS LE CHEF PENDANT MON ABSENCE.

HEIN ?!

C'EST TOI QU'AVAIS RAISON TOUT À L'HEURE, ON AURAIT DÛ T'ÉCOUTER. ALORS C'EST À TOI DE RÉGLER LE PROBLÈME DU BÉBÉ.

EUH ... T'ES SÛR DE TON COUP, DODJI ?

MAIS JE ... JE SUIS INCAPABLE DE ...

JE SUIS SÛR QUE TU SERAS À LA HAUTEUR. ET PUIS TU PEUX COMPTER SUR LES AUTRES POUR T'AIDER.

ET MOI, JE SERAI JAMAIS TRÈS LOIN, D'ACCORD ?

TU PROMETS ?

JE PROMETS.

?

EH MAIS ... IL VA OÙ, DODJI ?

LE CHIMPANZÉ BARRE TOUJOURS L'ENTRÉE PRINCIPALE.

BON, ALORS, ON FAIT QUOI "CHEF"?

LAISSE-LE RÉFLÉCHIR, D'ACCORD? C'EST POUR ÇA QUE DODU L'A CHOISI.

"...IMPOSSIBLE D'ENTRER PAR LÀ NON PLUS..."

LEÏLA, TU PENSES QUE TU POURRAIS FAIRE BOUGER LA GRUE, LÀ-BAS?

J'SUIS PAS SÛRE... MAIS JE PEUX TOUJOURS ALLER FAIRE UN ESSAI. POURQUOI, T'AS UN PLAN?

"...ÇA S'POUR-RAIT.

J'DOIS PASSER AU CIRQUE, D'ABORD.

29

C'EST LÀ...

REGARDE SI TU TROUVES DES PAPIERS À PROPOS DES SINGES. PLUS ON AURA D'INFOS, MIEUX ÇA SERA.

ET TOI, TU CHERCHES QUOI ?

SON COSTUME DE SCÈNE. ANTON M'A DIT QU'UN DRESSEUR PORTE TOUJOURS LE MÊME, POUR QUE LES ANIMAUX RECONNAISSENT SON ODEUR ET SOIENT MOINS AGRESSIFS.

ET SINON, TU CROIS QUE LE MAÎTRE DES COUTEAUX, IL TRAVAILLAIT DANS LE CIRQUE AUSSI ?

NON, Y'A PAS DE LANCEUR DE COUTEAUX DANS LEUR PROGRAMME ...JE PENSE QUE C'EST JUSTE UN GAMIN TROP BIZARRE, QUI NOUS A ATTAQUÉS PARCE QU'IL CROYAIT QU'ON ÉTAIT UN DANGER POUR LA PETITE.

EH, J'AI TROUVÉ UN ARTICLE AVEC UNE PHOTO D'SINGE, REGARDE !

LA FEMELLE CHIMPANZÉ A PERDU SON PETIT IL Y A UN AN ...ILS ÉCRIVENT QU'ELLE ÉTAIT INCONSOLABLE. C'EST SANS DOUTE POUR ÇA QU'ELLE A ENLEVÉ LA PETITE LUCIE.

OUAIS, MAIS POURQUOI ILS FONT CES GROS TAS D'OBJETS ? C'EST UN DE LEURS TOURS ?

...NON, C'ÉTAIT PAS NON PLUS DANS LE PROGRAMME QUE J'AI TROUVÉ.

C'... P'TÊT' JUSTE DES SINGES TROP BIZARRES.

ÇA DOIT ÊTRE ÇA ...ALLEZ VIENS, NE PERDONS PAS DE TEMPS.

30

BON ...VOUS AVEZ TOUS BIEN LE PLAN EN TÊTE ?

C'EST BON , T'INQUIÈTE PAS.

CAMILLE, TERRY, VOUS ÊTES CERTAINS DE VOULOIR EN ÊTRE ?

OUI ... C'EST IMPORTANT D'AIDER YVAN TOUS ENSEMBLE !

ET C'EST **MA** VOITURE, D'ABORD! ...

ET PUIS ON VA PAS RESTER AU CAMP SANS VOUS.

ATTENDEZ BIEN NOTRE SIGNAL POUR FONCER !

MUT!

MUT!

DIS, JE VEUX PAS ÊTRE RELOU MAIS ...T'ES SÛR QUE TU VEUX T'CHARGER TOI-MÊME D'ALLER CHERCHER LE BÉBÉ? ÇA VA PAS ÊTRE LE PLUS FACILE!

MERCI PAS BESOIN D'ME L'RAPPELER.

MAIS JE PENSE QUE J'AI VRAIMENT RÉDUIT LES RISQUES AU MAXI-MUM ...ÇA DEVRAIT BIEN SE PASSER.

ET PUIS TU M'AS BIEN DIT QUE C'ÉTAIT FACILE DE MANIPULER LA GRUE, HEIN ?

YES! C'EST UNE VRAIE "PIECE OF CAKE" !

BEN, J'TE RECONNAIS PLUS, YVAN! ...ÇA TE RÉUS-SIT D'ÊTRE CHEF!

ON EN REPARLERA SI JE SUIS ENCORE VIVANT TOUT À L'HEURE.

BON, T'ES PRÊT? ALORS, J'APPELLE BORIS ...

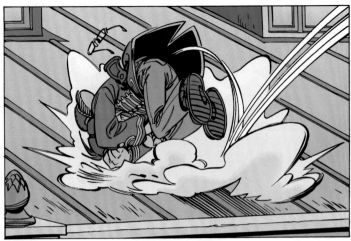

OUILLE!
...

YVAN, ÇA VA ?!

UNE "PIÈCE OF CAKE" QU'TU DISAIS! ET MON CUL, IT IS POULET ?

SKLING

HOLALA' ... C'EST TROP FLIPPANT LÀ-DEDANS, LEÏLA !! ... J'VEUX PAS RESTER ICI ...

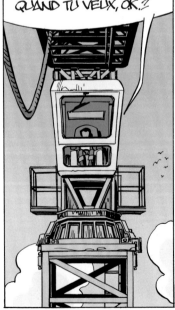

TU **DOIS** CONTINUER, YVAN, ON N'A PLUS LE CHOIX! ... MOI PENDANT CE TEMPS, J'M'OCCUPE DE REPLACER LA PLATE-FORME AU-DESSUS DU TOÎT, COMME ÇA TU POURRAS REPARTIR QUAND TU VEUX, OK ?

LEÏLA ?
...
ALLÔ, LEÏLA ?!
OH, MISÈRE ...

HHHHH
...

...PFOUOOU!

34

"" LUCIE ?
"" BÉBÉ ?

HAAAAAAAAAA!

FAIS DEMI-TOUR, FAIS DEMI-TOUR !!

J'ESSAIE!!

FICHUS TRAVAUX DE M@&$#!!

DITES, J'ESPÈRE QUE LES VITRES SONT SOLIDES !

ET MOI, J'ESPÈRE QU'YVAN VA VITE RETROUVER LE BÉBÉ !

HÍ!!!

HÍ!!!

FICHU BÉBÉ DE M@&$#!!

LUCIE ?! OÙ EST-CE QUE TU TE CACHES, BON SANG ?

35

"...ÇA COMMENCE À CRAINDRE VRAIMENT..."

ÇA Y EST ! ON LES SÈME !

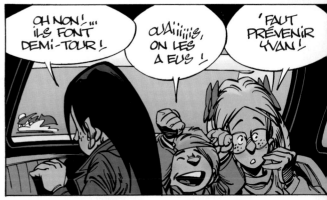

OH NON !... ILS FONT DEMI-TOUR !

OUAiiiiis, ON LES A EUS !

'FAUT PRÉVENIR YVAN !

BÉBÉ ?...BÉBÉ LUCIE, TU ES OÙ ?!

BILi BiLi !

ALLÔ, OUi ? ...QUOi ? ILS REVIENNENT DÉJÀ ?!

OK., OK., JE ... JE VAiS ME DÉBROUiLLER !

J'SUiS MORT !

COMMENT TROUVER LE BÉBÉ ?

...JE SAiS !

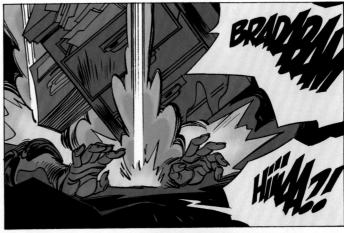

KRAA

HiiiAAA

WOHAAAH!

HAAAAA!

HiAAA!

LEïLAAA!

JE... ÇA VA ALLER ...JE... GNiiiiiiii!

HELAAA!

KOF!KOF!KOF!!

TIENS BON, J'ARRIVE!

BEUAAAA!!

J'AI... J'AI PERDU TON FLINGUE, JE SUIS DÉSOLÉ.

C'EST PAS GRAVE, VA... T'AS BIEN ASSURÉ.

TU VAS RENTRER AU CAMP MAINTENANT?

PAS ENCORE... ÇA NOUS FAIT DU BIEN D'ÊTRE UN PEU ÉLOIGNÉS, TU TROUVES PAS?

...SI T'ES PAS **TROP** ÉLOIGNÉ, ÇA VA.

T'INQUIÈTE... JE REPAS-SERAI VOUS VOIR DE TEMPS EN TEMPS.

BEUAAAA!

43

IL A L'AIR CONTENT DE LA RETROUVER.

IL ÉTAIT TEMPS QU'ON FASSE QUELQUE CHOSE... ELLE ÉTAIT COMPLÈTEMENT AFFAMÉE ET DÉSHYDRATÉE.

AH BEN, CÔTÉ FLOTTE, C'EST BON MAINTENANT : ELLE A EU SON COMPTE.

ON A FAIT DU BON BOULOT, JE TROUVE.

C'EST CLAIR.

ET DODJI... IL A DIT QUAND EST-CE QU'IL REVIENDRAIT ?

FAUT LUI LAISSER DU TEMPS, MAIS JE SAIS QU'IL VEILLERA SUR NOUS... C'EST UN PEU NOTRE ANGE GARDIEN !

DITES, EUH... JE PEUX VOUS MONTRER QUELQUE CHOSE ?

QUAND VOUS ÉTIEZ PAS LÀ, J'AI... J'AI RÉUSSI À COMMUNIQUER UN PEU AVEC LE MAÎTRE DES COUTEAUX.

IL T'A PARLÉ ?

NON, MAIS JE LUI AI MONTRÉ LA PHOTO DU CAIRN QUE TU NOUS AS ENVOYÉE AVEC TON PORTABLE.

ET ENSUITE, JE LUI AI MONTRÉ CETTE CARTE DE LA VILLE. IL M'A POINTÉ L'ENDROIT DU PREMIER CAIRN... ET PUIS IL A AUSSI MONTRÉ L'OPÉRA, OÙ VOUS AVEZ DIT QU'IL Y EN AVAIT DEUX AUTRES.

PIS IL A MONTRÉ PAS MAL D'AUTRES POINTS... ET AU FINAL, ÇA FAIT ÇA.

SKRRIIIITCH

COMME UN GRAND CERCLE ROUGE ... ET IL M'A FAIT COMPRENDRE QUE LES SINGES N'Y ENTRAIENT JAMAIS.

QU'EST-CE QUE ÇA VEUT DIRE ?

DODJI
...

45

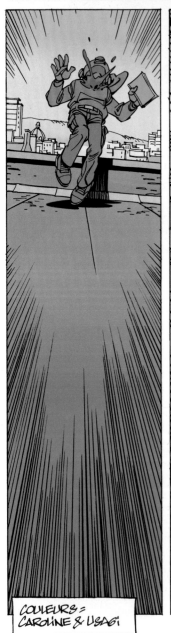